O TEMPO DAS CORES

DÉBORA THOMÉ
ILUSTRAÇÕES
EVA UVIEDO

jandaira

Copyright © Débora Thomé, 2021
Todos os direitos reservados à Editora Jandaíra, uma marca da
Pólen Produção Editorial Ldta., e protegidos pela lei 9.610, de 19.2.1998.
É proibida a reprodução total ou parcial sem a expressa anuência da editora.
Este livro foi revisado segundo o Novo Acordo Ortográfico da Língua Portuguesa.

direção editorial: **Lizandra Magon de Almeida**
assistência editorial: **Maria Ferreira e Karen Nakaoka**
projeto gráfico e diagramação: **dorotéia design**
revisão crítica: **Carolina Tomasi**
ilustrações: **Eva Uviedo**

Thomé, Débora
T485t   O tempo das cores / Débora Thomé ; ilustrações [de] Eva Uviedo. – São Paulo: Jandaíra, 2020.
36 p. : il. ; 18 x 26 cm.

ISBN 978-65-87113-22-7

1. Literatura. 2. Literatura – Infantojuvenil. 3. Histórias – Infantojuvenis. I. Uviedo, Eva, il. II. Título.

CDD 808.899282

Número de Controle: 0009

Para Olga e Denise, que vieram antes; e Rosa, que veio depois.
Laços que constroem a vida.

Para Aninha, Ian e Mauro, e o seu jeito de entender as cores

Esta história aconteceu num tempo muito antigo, quando o mundo ainda girava ao contrário e as cores tinham, cada qual, um lugar bem definido na Terra. Azul era azul, branco era branco e vermelho era vermelho.

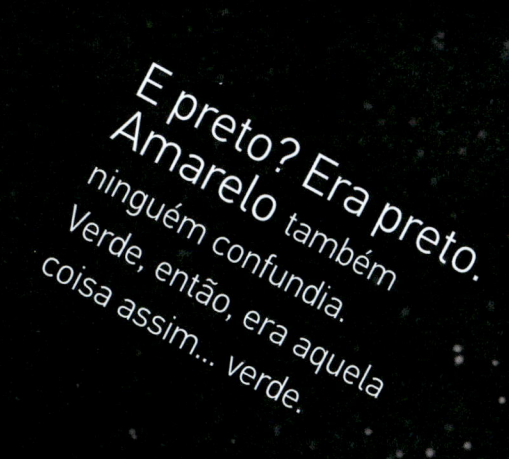

E preto? Era preto.
Amarelo também ninguém confundia.
Verde, então, era aquela coisa assim... verde.

Era uma época em que ninguém tinha vontade, nem interesse, de se misturar. Há quem diga que o povo daquele tempo sequer sabia dessa possibilidade.

Pois foi justamente num dia assim, lá longe no passado, que toda esta história começou.

Certa manhã, **Bianca**, a amazona
valente, recebeu uma ordem:
era tempo de partir para a guerra!

Mandou-lhe a rainha, de cabelos longos
e claros, um bilhete em branco.
Por ele, Bianca soube de pronto:
era sinal de que havia chegado a hora.

Na data marcada, Bianca acordou bem cedo. Tomou seu leite sem café, comeu queijo minas com pipoca e completou a refeição com mingau de aveia. Bateu um prato de arroz e claras de ovos. Cocada para sobremesa.

Buscou o punhal e vestiu sua farda de algodão.

Saiu montada em Blanco, seu cavalo que, de tão branco, era quase prateado. Só não era porque, naquele tempo, o branco era branco e o prateado, prateado.

Há muitos anos, um sonho lhe contara que seria sua uma grande missão. Tendo tudo sob controle, Bianca deu um beijo nas bochechas alvas de sua mãe e foi até o encontro da profetisa.

A velhinha morava na montanha salpicada de lírios que quase **alcançava as nuvens.**

Naquelas terras, o céu só tinha dois jeitos:
ou era de uma branquidão sem fim,
ou fazia cair neve suficiente para criar
um tapete que cobria todo o chão.

Chegando à casa da profetisa, Bianca
pediu proteção e, em troca, ganhou
um pacote e um conselho:

— Minha filha, ouça bem o que lhe digo.
Leve esta caixa consigo, aconteça o que
acontecer. É ela que você vai entregar
quando a guerra tiver início. Nela está
a resposta a todo esse conflito.

Do outro lado deste mesmo mundo que girava ao contrário, Rugeana despertou com um susto. Também a ela havia chegado uma carta da imperatriz. Trazia, em letras vermelhas e envelope cravado de rubis, a mensagem de que era preciso preparar as malas, pois a guerra estava por vir.

Como sabia que tempos muito difíceis se aproximavam, preparou um bom farnel. Tinha maçã, tomate e morango. E também acerola e carne mal passada, pois, como não conheciam outras cores por lá, tampouco sabiam que se podia cozinhar.

Na sua terra, os dias eram de pôr-do-sol. Fosse manhã, tarde ou noite, quem olhava para o alto via sempre um céu tomado pelo vermelho fogo, com o sol se exibindo bem de pertinho, como se tocasse as pessoas que aquecia.

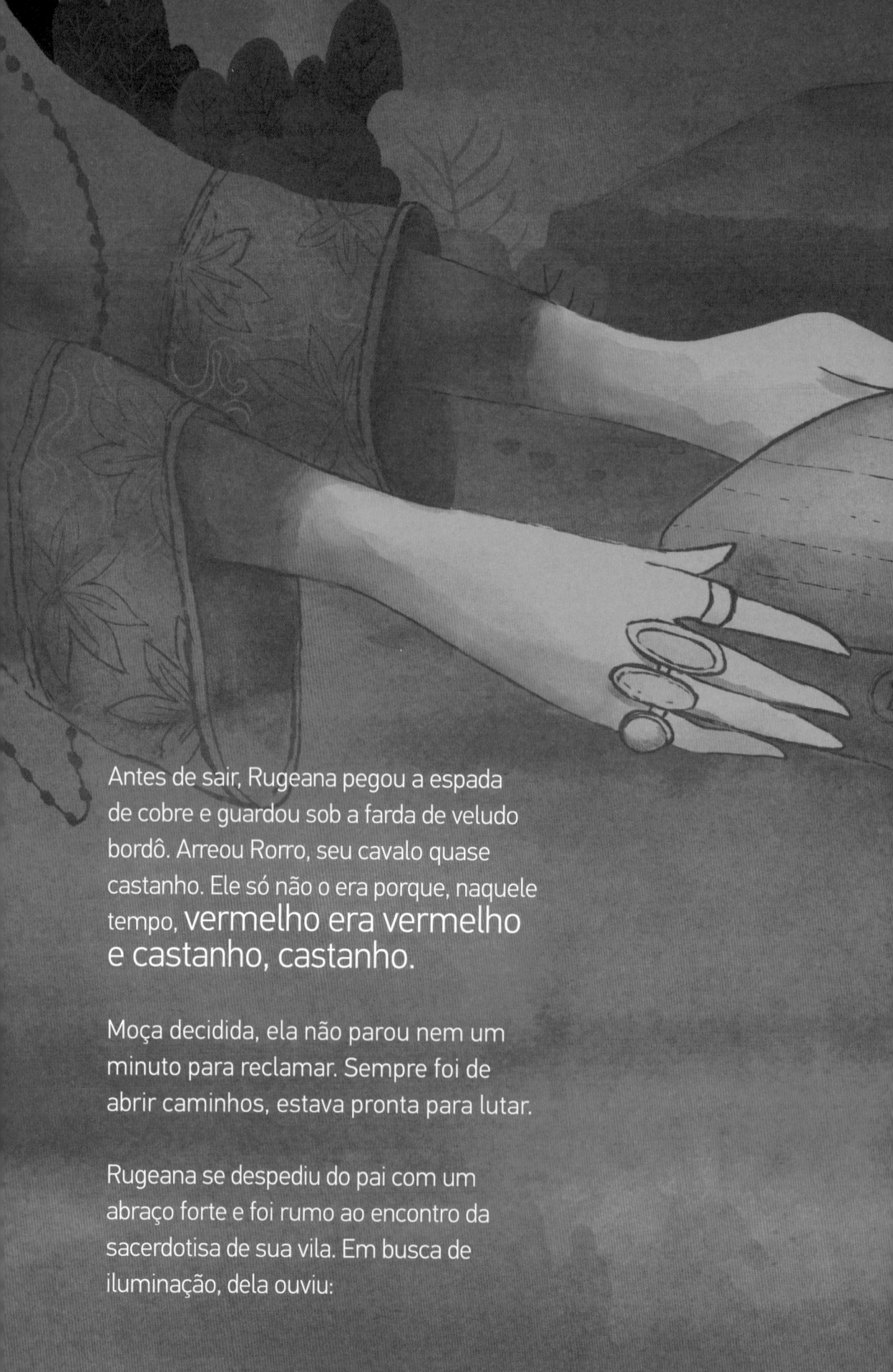

Antes de sair, Rugeana pegou a espada de cobre e guardou sob a farda de veludo bordô. Arreou Rorro, seu cavalo quase castanho. Ele só não o era porque, naquele tempo, **vermelho era vermelho e castanho, castanho.**

Moça decidida, ela não parou nem um minuto para reclamar. Sempre foi de abrir caminhos, estava pronta para lutar.

Rugeana se despediu do pai com um abraço forte e foi rumo ao encontro da sacerdotisa de sua vila. Em busca de iluminação, dela ouviu:

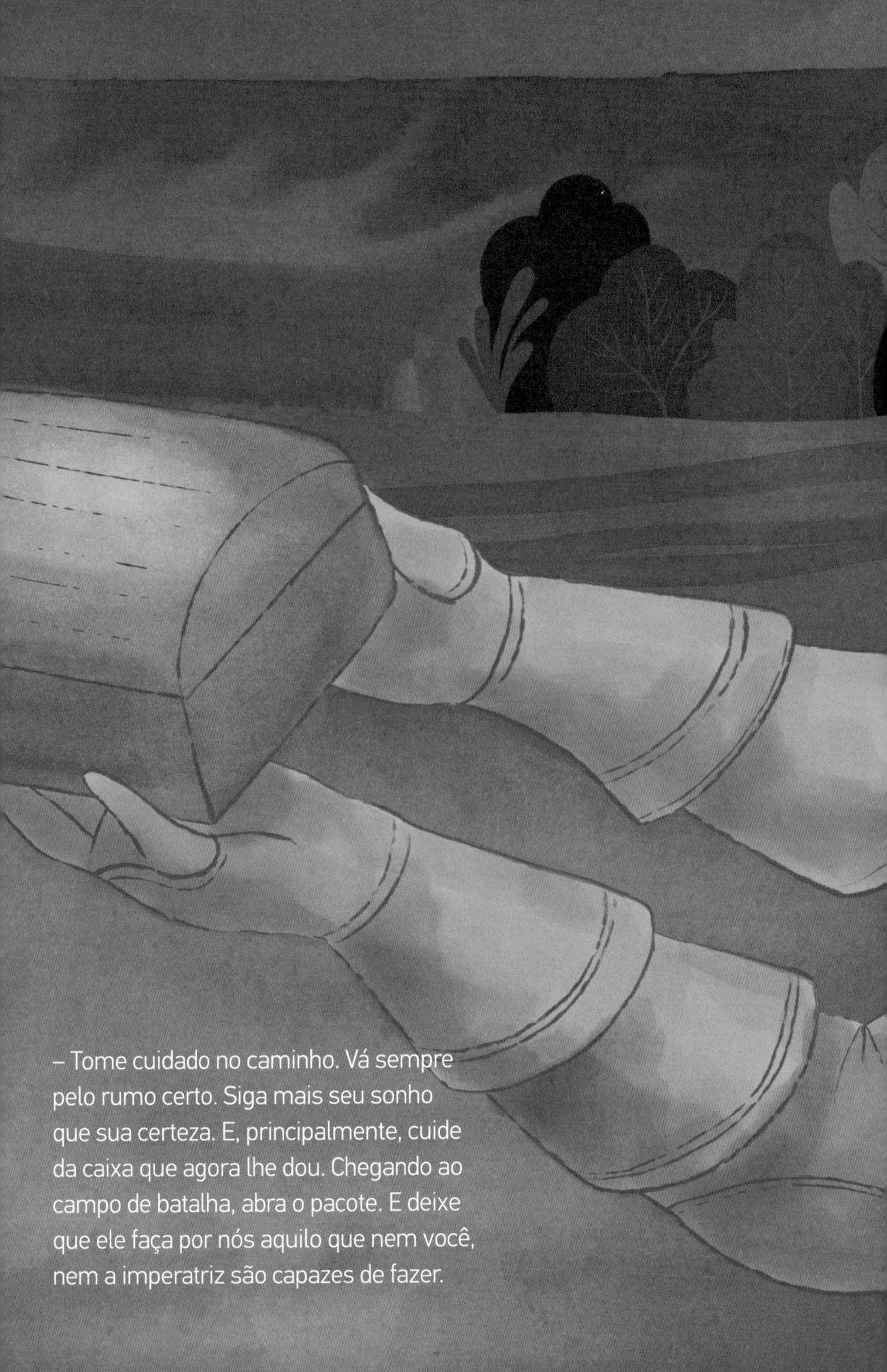

– Tome cuidado no caminho. Vá sempre pelo rumo certo. Siga mais seu sonho que sua certeza. E, principalmente, cuide da caixa que agora lhe dou. Chegando ao campo de batalha, abra o pacote. E deixe que ele faça por nós aquilo que nem você, nem a imperatriz são capazes de fazer.

Muito sabidas de sua missão, Bianca e Rugeana seguiram pela mesma estrada, em sentidos opostos, rumo ao campo de batalha.

Era tanta beleza que até pensou em ficar por lá, descansando para sempre. Mas acabou desistindo. Afinal, essa coisa de comer a mesma fruta todos os dias, em todas as refeições, não satisfaz ninguém.

Seguindo seu rumo, Bianca cavalgou por um campo gigante de **girassóis incessantes**, que dançavam admirados ao vento enquanto ela passava com seu cavalo branco.

Eram bananas, carambolas e melões que perfumavam o caminho e deixavam a jornada mais doce. O sol ali era tão intenso que parecia que tudo era uma só amarelidão.

Vindo do outro lado, Rugeana
encantou-se com a misteriosa terra da
noite. Lá, os morcegos voavam para
todos os lados, e as **plantações de
feijão vicejavam** em meio ao breu.

Os cavalos e os cachorros reluziam
de tão pretos; tinha gavião, escorpião,
gato e urubu.

Dizem que ali viviam também as zebras,
antes de ganharem as listras brancas.

Rugeana aproveitou a escuridão para
dormir e escutar o tanto de barulho
que o silêncio revela. Enxergando muito
pouco, pôde conhecer – e reconhecer –
o cheiro das coisas, seus ruídos
e as formas que elas têm.

Mas, depois de um tempo, seus
olhos começaram a se cansar,
e ela partiu novamente.

Foi quando Rugeana chegou ao reino do verde, com tantas florestas, com tantas árvores de tamanho pequeno, médio, grande e grandíssimo ocupando todo o espaço, que também mal conseguia ver a luz que incidia sobre as copas.

Naqueles campos, podia comer alface, brócolis, rúcula e sua preferida: a couve-de-bruxelas. O espinafre era o melhor que já tinha provado, mas, por mais que procurasse, o abacate era a única fruta que ela encontrava. Todas as outras nunca amadureciam. Ficavam verdes para sempre, sem que ninguém soubesse o sabor que tinham.

Rugeana sentia falta dos seus morangos.

Após longas jornadas, que duraram não se sabe quanto, vendo reinos de todas as cores e sobrevivendo a toda sorte de desafios, Bianca e Rugeana mantiveram ambas o trajeto e conseguiram proteger as caixas – que esse não era pedido que se negasse.

Durante todo o caminho, cada uma com seu cada qual gastou horas pensando:

Afinal, o que vou eu fazer nesta batalha?

Conquistarei
novas terras?

Ou devo resolver
um desentendimento?

Ou só vamos por que
alguém mandou?

E se foi alguém,
que alguém que foi?

Quanto menos tinham respostas,
mais perguntas iam carregando
em cima das selas que cobriam
o lombo dos seus cavalos. E mais
curiosas ficavam quanto à missão
e ao conteúdo das caixas.

Lá pelas tantas, exaustos os quatro,
finalmente atingiram o destino.
Era o fim do caminho.

Chegados o dia e a hora do
embate, Bianca e Rugeana, montadas
em Blanco e Rorro, se aproximaram.

As duas não sabiam bem o que fazer,
nem como era isso de declarar guerra.
Porém ambas tinham as caixas.
Bianca levava um destino; Rugeana,
uma vontade.

Seguindo as ordens que receberam,
antes de qualquer outro improviso,
cada uma abriu a sua.

Do pacote de Bianca, veio uma flor
do reino: branca, láctea, alva.

Da caixa de Rugeana, a flor do império:
imponente, forte, rubra.

Ainda sem que nada conseguissem entender,
as duas se entreolharam. Tinham na
mirada um misto de vergonha e compaixão.

Perdidas, suspiraram por um minuto, enquanto
tentavam pensar o que fazer a partir dali.

Foi justo neste intervalo de tempo entre pensar e não pensar que tudo **saiu do controle**: as flores fugiram das caixas e começaram a subir ao céu borboleteando como se asas tivessem.

Num dueto de balé, rodopiavam e se enroscavam sob as vistas de Bianca, de Rugeana e de todos que tinham ido até lá acompanhar a batalha prestes a começar.

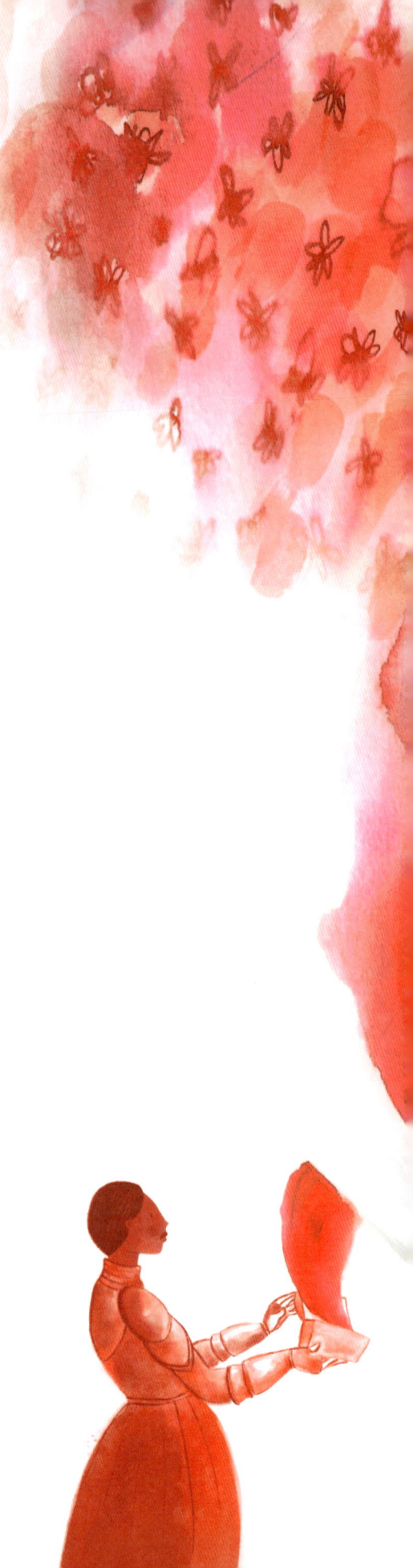

Juntou foi gente, mas mesmo naquele mundaréu de pessoas, não havia uma que acreditasse no que estava vendo.

Do encontro, choviam flores vermelhas, brancas, cor-de-rosa que, conforme tocavam o chão, coloriam a Terra de tons.

Era laranja amarelado misturado com azul esverdeado, planta mais verde, planta menos verde. Tinha marrom, tinha salmão, tinha até cor-de-burro-quando-foge.

"Ih, olha lá o cinza."
"Será que esta flor é roxa?
Ou lilás? Ou violeta?"
"E o gelo? O gelo que cor que tem?"

Naquele dia, quando o mundo passou a girar para o outro lado, não houve guerra.

Foi nesse mesmo dia que surgiram também as tantas outras cores que existem hoje no planeta.

Num tempo tão distante, no lugar da batalha, nasceu uma nova flor.
Ela não era só vermelha, nem só branca, nem só verde, nem só azul.

Era uma rosa rosa.

Débora Thomé

Quando tinha 7 anos, anotei no caderno: meu sonho é ser escritora. O mundo girou um tanto, fui jornalista, ativista, cientista política, mãe, até o dia em que pude viver aquele sonho: escrever – e publicar – um livro. O primeiro foi "Minha Amiga Mila" e, depois, "50 Brasileiras Incríveis para conhecer antes de crescer", finalista do Prêmio Jabuti. Moro pelo mundo e sou apaixonada pelas palavras, pelo mar azul e pelas histórias que as pessoas contam.

Eva Uviedo

Durante as longas tardes amarelas da minha infância na Argentina, eu lia e desenhava; lia e desenhava, enquanto todos faziam a sesta. Nessa época, os livros infantis não tinham muitas imagens, mas eu tinha meus lápis de cor para registrar no papel o que imaginava para cada história. Hoje trabalho fazendo exatamente isso, enchendo de desenhos coloridos livros, revistas, jornais, telas e tudo mais que eu puder.